Naughty Monkey

wán pí hóu
顽皮猴

Written by Xue Lin
and illustrated by Jian Zhi Qiu

Stories of Animal Signs Series
生肖童话系列

文：林雪 图：邱建志
英译：胡素燕、罗伊·皮尔斯

Sn❄wflake Books Ltd

A Snowflake Book

Published by Snowflake Books Ltd.,

Suite 241, 266 Banbury Road, OX2 7DL, UK

www.snowflakebooks.co.uk

First published November2015

Copyright © Xue Lin, Jian Zhi Qiu and Snowflake Books Ltd.

ISBN 978-1-908350-38-1

Printed in Taiwan by Choice Printing Group

Naughty Monkey was a very big monkey.

He had a flat nose and a tall forehead.

His body was blue.

His bottom was red.

His hair was white.

His eyes flashed like gold.

頑皮猴是一只很大的猴子。

他有个塌鼻子和高额头。

他的身体是蓝色的。

他的屁股是红色的。

他的头发是白色的。

他的眼睛闪烁着像黄金。

Naughty Monkey lived by the River of Huai.

Naughty Monkey was very strong.

He could beat all the other monkeys.

He became the Monkey King.

wán pí hóu zhù zài huái hé biān
顽皮猴住在淮河边。

wán pí hóu fēi cháng qiáng zhuàng
顽皮猴非常强壮。

tā néng dǎ bài suǒ yǒu qí tā de hóu zi
他能打败所有其他的猴子。

tā biàn chéng le hóu wáng
他变成了猴王。

One day the Jade Emperor held a special animal race.

'The first twelve animals will win a special honour,' he said.

'Their names will be given to the twelve Chinese years.'

Naughty Monkey wanted the first year to be called Year of Monkey.

Naughty Monkey swung quickly from one tree to another.

Everyone thought he would win the race.

一天，玉帝举办了一场特别的动物比赛。

"前十二名的动物将会赢得一个特别的荣誉"，
他说。

"他们的名字将会被指定给十二个中国年。"

顽皮猴想要第一年被称作猴年。

顽皮猴荡很快地从一棵树到另一棵，
每个人都认为他会赢得比赛。

Then Naughty Monkey came to a wide river.

Rooster and Goat came to the river too.

They were all afraid to go in the water.

At last they hung on to a big piece of wood and floated across the river.

Naughty Monkey was the ninth animal to reach the finish.

rán hòu wán pí hóu lái dào le yì tiáo dà hé biān
然后顽皮猴来到了一条大河边。

jī hé yáng yě dào le hé biān
鸡和羊也到了河边。

tā men dōu hài pà zǒu jìn shuǐ lǐ
他们都害怕走进水里。

zuì hòu tā men pān shàng yì kuài dà mù tóu piāo guò le hé
最后他们攀上一块大木头漂过了河。

wán pí hóu shì dì jiǔ míng de dòng wù dào dá zhōng diǎn
顽皮猴是第九名的动物到达终点。

Naughty Monkey was very angry because he was not the first.

He ran to the River of Huai. He broke down the banks and made floods.

At last Naughty Monkey felt hungry and tired.

He climbed up a tree to find some fruits.

Then he went to sleep.

wán pí hóu fēi cháng shēng qì yīn wéi tā bú shì dì yī míng
顽皮猴非常生气因为他不是第一名。

tā pǎo dào huái hé biān tā huǐ huài hé àn hé zhì zào shuǐ zāi
他跑到淮河边。他毁坏河岸和制造水灾。

zuì hòu wán pí hóu jué dé è yòu lèi
最后，顽皮猴觉得饿又累。

tā pá shàng yì kē shù qù zhǎo yì xiē guǒ zi
他爬上一棵树去找一些果子。

rán hòu tā shuì zháo le
然后他睡着了。

'Aaaaah…!' Naughty Monkey fell out of the tree into the river.

'Help! Help!' Naughty Monkey screeched and screeched.

He turned and twisted in the water.

He made very big waves.

"啊！" 顽皮猴从树上跌进河里。

"救命啊！救命啊！" 顽皮猴尖叫又尖叫。

他在水里翻又滚。

他制造了非常大的波浪。

Naughty Monkey flapped his arms. He tried to swim.

But the water was too fast.

He was carried away by the water.

There were lots of hard stones in the the river.

All of a sudden he hit a big stone. Bump. 'Ow!'

wán pí hóu pāi dòng tā de shǒu bì　tā shì zhe yóu yǒng
顽皮猴拍动他的手臂。他试着游泳。

dàn shì shuǐ tài kuài
但是水太快。

tā bèi shuǐ chōng zǒu le
他被水冲走了。

yǒu hěn duō jiān yìng de shí tóu zài hé lǐ
有很多坚硬的石头在河里,

tū rán tā zhuàng dào le yí kuài dà shí tóu　bèng　áo
突然他撞到了一块大石头。迸！"嗷！"

Soon Naughty Monkey found he could swim.

He found he had power over the water.

He made winds and big waves in the river.

He made floods everywhere.

hěn kuài wán pí hóu fā xiàn tā néng yóu yǒng
很快顽皮猴发现他能游泳，

tā fā xiàn tā yǒu lì liàng kòng zhì shuǐ
他发现他有力量控制水。

tā zhì zào fēng hé dà bō làng zài hé lǐ
他制造风和大波浪在河里。

tā zhì zào shuǐ zāi zài gè chù
他制造水灾在各处。

Da Yu was the great lord who controlled the floods.

Da Yu decided to catch Naughty Monkey.

Naughty Monkey climbed up a tree. He threw fruits at Da Yu.

He splashed water onto Da Yu's friends.

dà yǔ shì gè dà rén wù tā kòng zhì shuǐ zāi
大禹是个大人物他控制水灾。

dà yǔ jué dìng qù zhuā wán pí hóu
大禹决定去抓顽皮猴。

wán pí hóu pá shàng yì kē shù tā cháo dà yǔ diū guǒ zi
顽皮猴爬上一棵树。他朝大禹丢果子。

tā cháo dà yǔ de péng yǒu men pō shuǐ
他朝大禹的朋友们泼水。

Naughty Monkey was very difficult to catch.

He teased Da Yu.

Da Yu asked more friends to help.

They caught Naughty Monkey.

wán pí hóu hěn nán zhuā
顽皮猴很难抓。

tā xì nòng dà yǔ
他戏弄大禹。

dà yǔ qǐng qiú gèng duō péng yǒu bāng máng
大禹请求更多朋友帮忙。

tā men zhuā zhù wán pí hóu
他们抓住顽皮猴。

Da Yu ordered,

'Get a big metal chain and tie up this water monster.

Hang a bronze bell on his nose.

Hide him in the Turtle Mountain by the River of Huai.'

Ever since then the River of Huai has flowed smoothly into the East Sea.

dà yǔ mìng lìng
大禹命令：

ná yì tiáo dà jīn shǔ liàn zi lái suǒ zhù zhè gè shuǐ guài
"拿一条大金属链子来锁住这个水怪。

guà yí gè tóng líng zài tā de bí zi shàng
挂一个铜铃在他的鼻子上。

bǎ tā cáng zài huái hé biān de guī shān lǐ
把他藏在淮河边的龟山里"。

cóng cǐ huái hé píng jìng de liú rù le dōng hǎi
从此淮河平静地流入了东海。

Hundreds of years later a fisherman found a big metal chain.

'There must be some treasure underneath this chain,' the fisherman said.

几百年后，一个渔夫发现了一条大金属链子。

"一定有一些宝藏在这链子下面！"渔夫说。

He got ten friends and fifty water buffaloes to help him.

'Ah-you, Ah-you.' Everyone pulled and pulled.

At the end of the chain was a big monkey!

tā zhǎo lái shí gè péng yǒu hé wǔ shí tóu shuǐ niú lái bāng tā
他找来十个朋友和五十头水牛来帮他。

hēi yōu hēi yōu dà jiā lā yòu lā
"嘿呦！嘿呦！"大家拉又拉。

zài liàn zi de jìn tóu shì yì zhī dà hóu zi
在链子的尽头，是一只大猴子！

It had long white hair and white whiskers.

Its ears and nose were spouting water.

Its eyes flashed like gold.

It was Naughty Monkey!

Just then, Buddha appeared.

tā yǒu cháng cháng de bái tóu fa hé bái hú xū
它 有 长 长 的 白 头 发 和 白 胡 须，

tā de ěr duo hé bí zi zhèng zài pēn shuǐ
它 的 耳 朵 和 鼻 子 正 在 喷 水，

tā de yǎn jīng shǎn shuò zhe xiàng huáng jīn
它 的 眼 睛 闪 烁 着 像 黄 金。

tā shì wán pí hóu
它 是 顽 皮 猴！

jiù zài nà shí hòu fó zǔ chū xiàn le
就 在 那 时 候，佛 祖 出 现 了。

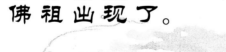

'You Naughty Monkey,' Buddha said. 'You will follow me,

read wise books and learn to control your temper.'

So Naughty Monkey studied hard.

He became one of the four magic monkeys of the Buddha.

He was called 'Red Bottom Horse Monkey.'

nǐ zhè zhī wán pí hóu　　fó zǔ shuō　　nǐ jiāng gēn suí wǒ
"你这只顽皮猴，"佛祖说。"你将跟随我，

dú yǒu zhì huì de shū hé xué huì kòng zhì nǐ de pí qì
读有智慧的书和学会控制你的脾气。"

yú shì wán pí hóu rèn zhēn xué xí
于是顽皮猴认真学习。

tā biàn chéng le fó zǔ de sì zhī mó fǎ hóu zhōng de yì zhī
他变成了佛祖的四只魔法猴中的一只，

tā bèi jiào zuò　　　chì kāo mǎ hóu
他被叫做"赤尻马猴"。

Useful Words 常用词语

English	Pinyin	Characters
at last	zuì hòu	最后
blue	lán sè de	蓝色的
break down	huǐ huài	毁坏
bronze bell	tóng líng	铜铃
catch	zhuā ; zhuā zhù	抓；抓住
fisherman	yú fū	渔夫
fruits	guǒ zi	果子
go to sleep	shuì zháo le	睡着了
gold	huáng jīn	黄金
have power over	yǒu lì liàng kòng zhì	有力量控制
honour	róng yù	荣誉
just then	jiù zài nà shí hòu	就在那时候
metal chain	jīn shǔ liàn zi	金属链子
monkey	hóu ; hóu zi	猴；猴子
pull and pull	lā yòu lā	拉又拉
red	hóng sè de	红色的
screech and screech	jiān jiào yòu jiān jiào	尖叫又尖叫
splash water	pō shuǐ	泼水
spout	pēn	喷
stones	shí tóu	石头
strong	qiáng zhuàng	强壮
study hard	rèn zhēn xué xí	认真学习
swing	dàng	荡
turn and twist	fān yòu gǔn	翻又滚
waves	bō làng	波浪
white	bái sè de	白色的